D1095412

De Roskam

Naar buiten!

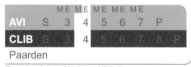

LEES**N!VEAU**

	ME	ME	ME	ME	ME		
AVI	S	3	4	5	6	7	P
CLIB	S	3	4	5	6	7	8	P

Paarden

Toegekend door Cito i.s.m. KPC Groep

Vierde druk 2009

ISBN 978 90 269 1778 3
NUR 287
© 2007 Uitgeverij Van Holkema & Warendorf,
Unieboek BV, Postbus 97, 3990 DB Houten

www.unieboek.nl
www.viviandenhollander.nl
www. saskiahalfmouw.nl

Tekst: Vivian den Hollander
Illustraties: Saskia Halfmouw
Vormgeving: Petra Gerritsen

Vivian den Hollander

De Roskam

Naar buiten!

Met illustraties van
Saskia Halfmouw

Van Holkema & Warendorf

Paulien rijdt bij manege De Roskam.
Al een hele tijd.
Ze is er vaak te vinden.
Dan helpt ze Steffie met de paarden,
of ze kijkt bij een les van Kees.
Maar vandaag heeft ze zelf les.
Ze mag op Blem.
Als ze het zadel haalt, komt Steffie eraan.
Ze sjouwt met een baal stro.
'Voor welk paard is dat?' vraagt Paulien.
'Voor Zita,' antwoordt Steffie.
'Ze is drachtig, dus ik zorg goed voor haar.'

Paulien kent Zita wel.
Het is een mooie merrie.
Ze staat achter in de gang.
'Wanneer komt het veulentje?'
'Ik denk volgende week,' zegt Steffie.
'Als het zover is, hoor je het wel.'
'Ja, leuk!'
Paulien loopt naar Blem en zadelt hem op.
Dan leidt ze hem naar de bak.
Eva staat al klaar.
Ze zit bij Paulien in de klas.
Sinds kort rijdt ze ook in deze groep.

Wout komt eraan met Frenkie.
Als iedereen er is, zegt Kees:
'We gaan iets leuks doen vandaag.'
Iets leuks? denkt Paulien.
Iedere les is toch leuk!
'We gaan een buitenrit maken,' gaat Kees door.

'Jullie rijden al zo goed,
dat ik vind dat het kan.'
'Yes!' juicht Eva.
'We gaan naar buiten!
Super.'
Ook Paulien heeft er veel zin in.
Toch lijkt het haar ook best spannend.

'Mogen we al opstijgen?' vraagt ze.
Kees schudt zijn hoofd.
'Voel eerst of de singel strak genoeg zit.
En maak de stijgbeugels korter.
Dan zit je steviger.
Dat is nodig als we naar buiten gaan.'
Iedereen doet wat hij vraagt.

'En dan nog wat,' zegt Kees.
Zijn stem klinkt bijna streng.
'Rijden op de manege is veilig,
maar voor buiten geldt dat niet.
We moeten straks een drukke weg over.
Let daarom goed op mij.
En wat erg belangrijk is:
blijf als groep bij elkaar.'
Iedereen knikt.
En Frenkie hinnikt.
Net of hij wil zeggen:
'Ja baas, ik heb het begrepen.'

Even later gaan ze op pad.
Kees rijdt voorop, op Lindo.
De groep volgt twee aan twee.
Ze rijden de manege uit
en zijn al snel bij de weg.

Een paar auto's zoeven voorbij.
Kees draait zich om en steekt zijn arm op.
'Stoppen!' roept hij.
Paulien trekt meteen aan de teugels.
Blem luistert goed.
Maar Dodo schrikt van het verkeer.
Hij wordt lastig en trekt aan zijn bit.
Kim, die op hem rijdt, kalmeert hem.
'Rustig maar.
We zijn zo in het bos.'

Als de laatste auto voorbij is, roept Kees:
'We kunnen gaan!
Volg snel, maar bots niet op elkaar.'
De paarden steken over.
Wout sluit met Frenkie de rij.
Ze stappen net het zebrapad op
als Frenkie schrikt van een brommer.

Hij doet een stap terug
en stampt met zijn hoeven.
'Loop door,' zegt Wout.
'Vooruit, loop door!'
Hij drijft Frenkie aan.

Als dat niet helpt,
geeft hij met zijn zweep een tikje.
Frenkie zet weer een paar stappen.
Toch is hij nog steeds nerveus.
Dan komt er een auto aan.
De man achter het stuur rijdt hard.
Te laat ontdekt hij het paard.
Hij trapt vol op zijn rem.
'Pie-ie-iep!'
De auto stopt, nét voor het paard.
Nu schrikt Frenkie pas echt goed.
Snuivend gooit hij zijn hoofd omhoog.

Daarna stuift hij naar het bos.
'Ho!' roept Wout geschrokken.
'Frenkie, ho!'
Het paard luistert niet.
Het draaft maar door.

Paulien denkt bang:
Frenkie slaat toch niet op hol?
Kees gaat Wout achterna.
Die heeft Frenkie net weer in bedwang.
'Pjoe!' roept hij met een rood hoofd.
'Dat was schrikken, zeg!
Die man keek echt niet uit.'
'Die keek zeker niet uit,' bromt Kees boos.

Ze keren terug naar de groep.
'Kunnen we verder?' vraagt Kees.
Wout knikt.
Ze gaan het bos in.
Daar is gelukkig geen verkeer.
De wind ruist door de bladeren
en de paarden draven kwiek over het pad.

Wout krijgt weer praatjes.
'Jie-hee!' roept hij.
'Dat gaat lekker!'
En Eva zegt: 'Gaaf is dit, hè?
Wist je dat dit mijn droom was?
Door het bos rijden op een paard?'

Paulien knikt.
'Ik vind het ook super.
Ik hoop dat we dit vaak gaan doen.'
Ze rijden een flink eind.
Ook mogen ze even in galop.

Heerlijk gaat het, denkt Paulien.
Ze veert mee met het paard,
maar Blem heeft al gauw geen zin meer.
Hij gaat terug in draf.
'Kom op, Paulien,' beveelt Kees.
'Spoor je paard eens aan.'
Paulien doet wat Kees vraagt.
Toch helpt het niet.
Blem blijft achter bij de rest.
Paulien probeert hem weer aan te sporen.

Dan merkt ze wat er is:
Blem loopt mank.
'Stop!' roept ze. 'Stop!
Er is iets met Blem!'
Eva hoort haar geroep.
Ze houdt in en vraagt:
'Wat is er aan de hand?'
'Blem loopt mank,' antwoordt Paulien.

'Hoe komt dat nou?
Is hij soms gestruikeld?'
'Ik heb niks gemerkt,' zegt Paulien.
Eva gaat achter Blem rijden.
'Je hebt gelijk!' roept ze dan.

'Blem hinkt een beetje.'
Paulien gaat over in stap.
'Waarschuw jij Kees?' vraagt ze.
Eva knikt en rijdt snel weg.

17

Als Kees het hoort,
laat hij de paarden stoppen.
Hij komt naar Paulien toe.
Ze staat al naast het paard.
Kees voelt aan Blems been.
Ook tilt hij zijn hoef op.
'Ik zie het al,' zegt hij.
'Het hoefijzer zit scheef.
Tsja, wat nu?
We zijn te ver van de manege.
En Blem kan zo niet blijven lopen.'
Wout hoort wat Kees zegt.

Hij rijdt naar de viersprong verderop
en kijkt om zich heen.
Dan gaat hij terug naar de groep.
'Rechts is een boerderij,' zegt hij.
'Zullen we daar hulp gaan vragen?'
Kees vindt het een goed plan.
Hij brengt de groep naar een veld.
'Houd hier maar even rust,' zegt hij.
'Dat is goed voor de paarden.'
Hij zet Lindo vast aan een boom.
Daarna pakt hij Blem bij de teugels.
Paulien en Eva gaan mee naar de boerderij.

Op het erf is een boer aan het werk.
Als hij hen ziet, vraagt hij:
'Kan ik wat voor jullie doen?'
Kees knikt.
'Hebt u misschien een tang?
Dit paard heeft een scheef hoefijzer.
Dus dat moet eraf.'
'Kom maar mee,' zegt de boer.
Hij loopt naar een schuur.
Daar tilt hij de hoef van Blem op.
'Aha, ik zie het al,' zegt hij.
'Er mist een hoefnagel.'
Hij pakt een tang
en trekt het ijzer eraf.

Dan kijkt hij naar Eva en Paulien.
'Wie wil het hebben?'
Kees wijst naar Paulien.
'Zij reed op Blem.
Dus het hoefijzer is voor haar.'
De boer wrijft het ijzer schoon
en geeft het aan Paulien.

'Hier. Leuk voor boven je bed.
En je weet:
hang het ijzer niet op zijn kop.
Want dan valt het geluk eruit!'
Hij brengt hen terug naar het erf.
Blem loopt niet mank meer
en stapt vrolijk mee.

Even later zit iedereen weer op zijn paard.
'We gaan rustig in stap terug,' beveelt Kees.
'In stap?' vraagt Wout.
'Mogen we niet in galop?
Dat is juist zo gaaf.'
Kees schudt zijn hoofd.
'Blem heeft geen hoefijzer.
Dus als we te hard gaan,
slijten zijn hoeven te veel.
Pas als de hoefsmid is geweest,
kan hij weer lekker draven.'
In een rustig tempo gaan ze terug.

Ze zijn bijna het bos uit, als Kees stopt.
'Ho!' roept hij.
Wat is er aan de hand? denkt Paulien.
Dan ziet ze de ijskar van Tonie.

De bel aan de kar tingelt zacht.
'Wie lust er een ijsje?' vraagt Kees.
Dat had hij niet hoeven vragen.
Er gaat meteen een gejuich op.
'Je hoort het, Tonie,' zegt Kees.
'De hele groep wil een ijsje.'
'Mogen de paarden ook?' grapt Wout.
Kees lacht.
'Ze zijn dol op ijs,
maar het is niet goed voor ze.
Dus dat doen we maar niet.'

Tonie gaat snel aan het werk.
Als Eva haar ijsje krijgt, zegt ze:
'Dit is echt een geluksdag vandaag.
Eerst rijden door het bos.
En nu ook nog een ijsje.

Dat komt vast door het hoefijzer, Pien.
Je hebt het toch nog wel?'
Paulien klopt op haar zak.
'Wat dacht je!'
Als alle ijsjes op zijn, gaan ze verder.

Al gauw zijn ze weer bij de weg.
Daar is het niet meer zo druk.
Toch zegt Kees:
'Wout, rijd jij maar achter mij.
Eva, sluit jij de rij?'

De paarden steken veilig over.
'Goed gedaan, Frenkie,' prijst Wout.
Hij klopt het paard op zijn hals.
'Straks krijg je wat lekkers van mij.
Dat heb je echt verdiend.'

Als ze bij de manege zijn,
holt Steffie hun tegemoet.
'Kees!' roept ze. 'Kom gauw!'
Paulien schrikt.
Is er iets gebeurd?
Maar als Steffie dichterbij komt,
ziet ze dat ze blij kijkt.
'Ik heb leuk nieuws!' roept ze.
'Er is een veulentje geboren!'
Kees weet niet wat hij hoort.
'Wat?
Is Zita nu al bevallen?
Is alles goed gegaan?'

'Ja, het ging prima,' zegt Steffie.
'Zita heeft een prachtig veulen.'
Kees geeft Lindo over aan een stalhulp
en holt met Steffie mee.
Paulien brengt Blem terug naar haar box.

Ze zadelt hem af.
Ook sponst ze zijn ogen, neus en mond af.
Blem is bezweet door het rijden.
Zo frist hij lekker op.
Onder het verzorgen denkt Paulien:
hoe zou het met het veulen gaan?

Wat zou ik het graag willen zien!
Eva is net klaar met Senna.
Het lijkt of ze weet wat Paulien denkt.
'Hé Pien,' zegt ze zacht.
'Weet jij waar Zita staat?'
'Hoezo? Wil je soms…?'

Eva knikt.
'Zullen we even gaan gluren?'
'Goed plan,' antwoordt Paulien.
Ze sluit de box van Blem
en sluipt met Eva door de stal.

Als ze de hoek om gaan,
komt Steffie eraan.
'Betrapt!' roept ze lachend.
'Ga eens gauw terug.'
Paulien en Eva kijken haar smekend aan.
'Toe, Stef.
Mogen we het veulen zien?
Heel even maar.
We zijn zo benieuwd.'
Steffie lacht weer.
'Vooruit, omdat jullie het zijn!
Wel stil doen, hoor!
Het veulen heeft veel rust nodig.'

'Beloofd!' zeggen de meisjes.
Ze knijpen in elkaars hand
en gaan met Steffie mee.

Ze gluren om het hoekje van de box.
Daar in het stro ligt het veulen.
Zita likt het schoon.
'Wat is ze snoezig,' fluistert Paulien.
'Hoe heet ze?'
'Sterre,' antwoordt Steffie.
'Wat een mooie naam!' zegt Paulien.
En ze denkt:
Eva heeft gelijk.
Het is echt een geluksdag vandaag.

Dit zijn de boeken over *De Roskam*.
Lees ze allemaal!

ISBN 978 90 269 1705 9
AVI nieuw: M4
AVI oud: 4

ISBN 978 90 269 1706 6
AVI nieuw: M4
AVI oud: 4

ISBN 978 90 269 1777 6
AVI nieuw: M4
AVI oud: 4

ISBN 978 90 269 1778 3
AVI nieuw: E4
AVI oud: 5

ISBN 978 90 475 0211 1
AVI nieuw: M4
AVI oud: 5

ISBN 978 90 475 0212 8
AVI nieuw: E4
AVI oud: 5

ISBN 978 90 475 0590 7
AVI nieuw: M4
AVI oud: 5

ISBN 978 90 475 0791 8
AVI nieuw: E4
AVI oud: 5

ISBN 978 90 475 0967 7
AVI nieuw: E4
AVI oud: 5

www.viviandenhollander.nl

www.saskiahalfmouw.nl